永恆峰群
史都華大瀑布
孤傲峰
古柏的家
德叔叔
的公園
跳跳兔的家
波奇的家
大草原
櫻桃溪
莉莉的家
貓頭鷹小姐
的菜園
愛莉的家

知識繪本館

幸福孩子的7個好習慣❻統合綜效

蘇菲與完美的詩

文｜西恩・柯維 Sean Covey
圖｜史戴西・柯提斯 Stacy Curtis　譯｜黃筱茵

責任編輯｜詹嬿馨　美術設計｜陳宛昀　行銷企劃｜王予農

天下雜誌群創辦人｜殷允芃　董事長兼執行長｜何琦瑜
媒體暨產品事業群
總經理｜游玉雪　副總經理｜林彥傑　總編輯｜林欣靜
行銷總監｜林育菁　主　　編｜楊琇珊　版權主任｜何晨瑋、黃微真

出版者｜親子天下股份有限公司　地址｜台北市104建國北路一段96號4樓
電話｜（02）2509-2800　傳真｜（02）2509-2462　網址｜www.parenting.com.tw
讀者服務專線｜（02）2662-0332　週一～週五 09:00~17:30
讀者服務傳真｜（02）2662-6048
客服信箱｜parenting@cw.com.tw
法律顧問｜台英國際商務法律事務所・羅明通律師
製版印刷｜中原造像股份有限公司
總經銷｜大和圖書有限公司　電話｜（02）8990-2588

出版日期｜2023年4月第一版第一次印行
　　　　　2024年3月第一版第三次印行
定價｜280元
書號｜BKKKC235P
ISBN｜978-626-305-443-1（精裝）

訂購服務 ——————————————————
親子天下Shopping｜shopping.parenting.com.tw
海外・大量訂購｜parenting@cw.com.tw
書香花園｜台北市建國北路二段6巷11號　電話｜（02）2506-1635
劃撥帳號｜50331356 親子天下股份有限公司

國家圖書館出版品預行編目資料

幸福孩子的7個好習慣.6,統合綜效:蘇菲與完美的詩 / 西恩.柯維(Sean Covey)文；史戴西.柯提斯(Stacy Curtis)圖；黃筱茵譯. -- 第一版. -- 臺北市：親子天下股份有限公司, 2023.04
32面；20.3×17.8公分. -- (知識繪本館)
國語注音
譯自：The 7 habits of happy kids：sophie and the perfect poem
ISBN 978-626-305-443-1(精裝)

1.CST: 育兒 2.CST: 繪本

428.8　　　　112001735

文／西恩・柯維（Sean Covey）

富蘭克林柯維公司的執行副總，專責教育部門。
史蒂芬・柯維之子，哈佛大學企管碩士。致力於將領導力原則及技能帶給全球的學生、教育工作者、學校，以期帶動全球的教育變革。
他是《紐約時報》的暢銷書作者，著作包括：《與未來有約》、《與成功有約兒童繪本版》，以及被譯成二十種語言、全球銷售逾四百萬冊的《7個習慣決定未來》。

圖／史戴西・柯提斯（Stacy Curtis）

美國漫畫家，插圖畫家和印刷師，同時也是理查德· 湯普森（Richard Thompson）連環畫《薩克》的著墨人。柯提斯（Curtis）和他的雙胞胎兄弟在肯塔基州的鮑靈格林（Bowling Green）長大，年輕的史戴西（Stacy）夢想著在這裡創作連環漫畫。

譯／黃筱茵

國立臺灣大學外文系兼任講師。國立臺灣師範大學英語研究所博士班〈文學組〉學分修畢。曾任編輯，翻譯過繪本與青少年小說等超過三百冊，擔任過文化部中小學生優良課外讀物評審、九歌少兒文學獎評審、國家電影視聽中心繪本案審查委員等。近年來同時也撰寫專欄、擔任講師，推廣繪本文學與青少年小說。從故事中試著了解生命裡的歡喜悲傷，認識可以一起喝故事茶的好朋友。

獻給我的女兒貝絲

她穩定、包容，是每個人的好朋友。

——西恩・柯維 Sean Covey

獻給我的兄弟傑夫

——史戴西・柯提斯 Stacy Curtis

幸福孩子的7個好習慣❻統合綜效

蘇菲與完美的詩

文/西恩・柯維 Sean Covey

圖/史戴西・柯提斯 Stacy Curtis

譯/黃筱茵

7橡鎮的朋友們
豪豬波奇
跳跳兔
小熊古柏
松鼠蘇菲
臭鼬莉莉
松鼠山米
老鼠愛莉

有一天，嗚嗚老師在課堂上說：

「同學們，我們接下來要分組，每一組同學都要一起寫一首詩，一周後，和班上同學分享。」

松鼠蘇菲心想：「真希望可以和莉莉同一組。」

「莉莉和波奇一組、愛莉和山米一組、古柏和跳跳一組……蘇菲你就和啃啃一組吧！」嗚嗚老師說。

松鼠蘇菲好失望，她一點都不想和啃啃同一組，因為啃啃有時候口氣很凶，松鼠蘇菲有點怕他。

「天啊，蘇菲，『尼』和啃啃一組耶，真可憐！」老鼠愛莉說。

「對啊，真的好可憐啊！」跳跳兔說。

松鼠蘇菲無奈的說：「我大概整首詩都要自己寫了吧，我的詩一定要最完美才行。」

第二天，嗚嗚老師給大家一些小組討論的時間。

松鼠蘇菲和啃啃在水族角討論想法，松鼠蘇菲說：「我們來寫一首關於太陽、月亮還有星星的詩吧！」

「那也太呆了吧！我覺得我們應該寫一首關於樹、風還有水的詩。」啃啃說。

松鼠蘇菲嘆了一口氣，情況似乎比她預期的更糟。

於是，松鼠蘇菲決定要去找嗚嗚老師談一談。

「我可以換搭檔嗎？啃啃好凶，而且根本沒有什麼好點子。」

「喔，親愛的蘇菲，如果你願意多認識和了解啃啃，就會發現他很和善，也有很多好點子。你們一定能想出一首讓彼此自豪的好詩！」

松鼠蘇菲只好答應老師她會試試看。

於是，啃啃和松鼠蘇菲開始試著一起完成他們的寫詩作業。

「你為什麼喜歡樹呢？」松鼠蘇菲問。

「因為樹可以用來建水壩啊！我爸爸就花了六個月建造了一座水壩喔！當然，我也有幫忙！」

「好酷唷！」松鼠蘇菲說。

「其實我也很喜歡太陽、月亮、星星，以及一切和天空相關的東西喔！」啃啃說。

「真的嗎？」松鼠蘇菲問。

「嗯，也許可以把我們的想法結合在一起。」說著，他們著手開始工作了起來。

接下來幾天，松鼠蘇菲和啃啃幾乎每天都在一起熱烈的討論著。

分組報告的日子終於到了，
每個人都要發表自己寫的作品，
小熊古柏和跳跳兔是第一組。

「我們的詩名是『蟲蟲和籃球』。我們要念囉！」
小熊古柏說。

放眼到處看，
籃球和小蟲。
書裡也有喔，
小蟲和籃球。
如果我有螞蟻，
就把牠藏進盆栽裡。
如果我有球，
就讓球彈到牆壁上。
那樣會很棒
可惜詩也寫完了。

「嗯，你們的詩很……有趣。」嗚嗚老師說。

接著輪到松鼠蘇菲和啃啃了。
啃啃很緊張的朗讀他們寫的詩，
松鼠蘇菲很自豪的站在他身邊。
「我們的詩名是『睜開你的雙眼』。」

我睜開我的雙眼，看見了什麼？
太陽、月亮、星星，還有樹。
我打開我的耳朵，聽見了什麼？
清澈的水流上一陣溫柔的微風。
我打開我的心，發現了什麼？
一位超棒的新朋友，還有美好的時光。

啃啃和松鼠蘇菲互相擊掌，全班同學都為他們歡呼。

「喔，我的天啊！實在太完美了！」嗚嗚老師說。

「哇，蘇菲，你的詩『增』的好棒喔！」老鼠愛莉說。
「啃啃其實還不錯嘛，呵？」

「嘿，大家一起去踢足球吧！」跳跳兔喊著。

「太棒了！啃啃，你要一起來嗎？」松鼠蘇菲說。

親子共讀小叮嚀

第6個好習慣：統合綜效——合作力量大

統合綜效就是兩個以上的人一起合作，創造出比獨自一人更棒的成果，就像松鼠蘇菲跟啃啃一起寫詩。統合綜效不是妥協，妥協意味著1加1只等於1½。統合綜效則是發揮「全體大於部分總和」的效益，讓1加1等於3或更多。不是用你的方式或是我的方式，而是找到更好的方式、更高明的方式。從事建造工程的人都知道，在2×4工法中，一根2×4的柱子可以支撐607磅，可是兩根2×4的柱子釘在一起，可以支撐的重量卻不只1214磅（那可能是你原本預期的），而是4878磅這樣的極大值！對我們來說，道理也一樣，一起合作，遠比單獨一人可以做到更多更多。

事實上，我們每個人是如此不同，這是一件很棒的事。就像知名兒童文學家蘇斯博士說的：「有些事物很快，有些事物很慢。有些東西很高，有些東西很低，他們全都不一樣。別問我們為什麼，問你媽媽吧。」如果我們可以學著珍視彼此的不同，將這樣的不同視為好事，我們就無須害怕，把它們看成阻礙。這樣我們會更有成就——無論在家庭、工作、婚姻、友誼，或是所有生命帶我們前往的地方都一樣。

看了這則故事後，告訴孩子松鼠蘇菲和她的朋友們一開始是怎樣在還不認識啃啃的狀況下就批判他。他們認為啃啃凶巴巴又可怕但事實上，啃啃只是跟他們不太一樣而已。不過，一旦松鼠蘇菲和啃啃彼此願意放下陳見，真正的去認識、尊重對方，美好的事就發生了。所以下次有人跟你意見不同的時候，你可以告訴他／她：「這樣很好，很高興你有不同的看法。」

一起來討論

1.為什麼松鼠蘇菲一開始不想跟啃啃同一組？

2.松鼠蘇菲想在詩裡寫什麼？啃啃呢？

3.松鼠蘇菲和啃啃他們是怎樣合作，想出完美的詩？

4.最後故事裡的這群好朋友們怎麼對待啃啃？為什麼呢？

5.團隊合作是什麼意思？為什麼接納別人很重要？

你可以這樣做！

1.下次到學校去的時候，跟一位你平時不會跟他／她交談的同學說話。

2.你曾經被人排擠嗎？跟爸爸媽媽談談你的感覺。

3.跟另一個人合作寫一首詩，或是畫一張圖。

4.跟家人一起計畫出遊，記得把每個人最棒的點子都加進計畫裡喔。

5.跟爸爸媽媽談談不要批判別人這件事，跟他們討論為什麼保有差異是好事。

永恆山峰群
沙丘
北方樹林
櫻桃溪
水獺之家
山羊島
爬爬丘陵
迷霧森林
野生樹林